玩出 55 道絞肉好風味

絞肉の料理

作者●林美慧

深藏在記憶裡的味道

從事烹飪教學多年，經常有媽媽們向我反應：「孩子老是吃不下飯怎麼辦？」看著她們似曾相識的焦慮神情，不禁勾起我那深藏已久的童年記憶。在那個物資缺乏的時代裡，能夠吃飽就已經是阿彌陀佛了，還談什麼菜色要變化？但媽媽總會為了讓嘴刁的我們多吃幾口飯，絞盡腦汁、同中求變，其中尤以做法簡單、滋味甘醇的瓜仔肉，最令我難忘，這也是我對絞肉最初、最深的記憶。隨著年齡的成長，直到開始掌理自己的家庭時，才真正體會到「煮婦難為」，同時也越發覺得絞肉實在好用，而這道有「媽媽的味道」的瓜仔肉也成了我對付孩子不吃飯的法寶。

在所有肉類食品中，絞肉可謂用途最為寬廣的食材，它不限種類（豬、牛、羊、雞皆可），又具有高度的可塑性。它可以是主角，做成丸子或是有餡兒的麵點，宴客、自用兩相宜；也可以是配角，飯裡加點兒肉臊可以開胃、菜裡加點兒肉末可以提鮮；即使與其他食材搭配，效果也是非常速配。

此外，絞肉有「二快」：解凍快、熟得快，這對忙碌的職業婦女而言可是一大福音！你只要有一包絞肉，三兩下就可以變化出一碗肉末焗蛋、一盤蒼蠅頭、一鍋丸子湯三道菜來，是不是既快速又實用呢？

本書提供了55道絞肉料理，你將意外的發現，平平都是絞肉卻能因烹調手法不同，而變化出多種樣貌。還在為今天的菜單傷腦筋嗎？快去買些絞肉擺著備用吧，它可以讓你在家人面前立於不敗之地呢！

林美慧

contents

目　錄

contents

④ Dim-Sum, Noodles Soup

點心麵食湯類

contents

小小玩意兒，大大的好用

所謂絞肉者也，就是絞碎的細肉，或肥或瘦。但你可別小看這貌不驚人的小玩意兒，它可是大大的好用，便宜、肉質細膩、易熟、退冰快，搭配性超好，可以做個畫龍點睛的巧妙配角，也可以是壓軸主秀的食材。最直截了當的做法是加醬油滷煮成肉臊拌麵或飯，炒青菜只要摻些肉末就「澎湃有料」，特別吸引挑嘴的孩子與肉食主義者；和上太白粉與其他材料製成各種口味的丸子、肉排，是宜家宜宴且多變的料理；拌作內餡包成水餃、肉包、餡餅、漢堡等等有餡麵食，則是許多人愛不釋口的主食。

絞肉，正港是小而美的千面食材。

蛋白質優質來源，提供生理重要熱能

滋味甘美的肉類，營養豐富、熱能較高，飽腹作用強。含量約有20%的蛋白質是它們最重要、也最具營養價值的成分。蛋白質是構成與修補身體組織、細胞、血液最主要的成分，更具有維持與調節人體正常生理機能的功能，而肉類的動物性蛋白正是最好的源頭。約佔5～30%不等的脂肪則提供了身體活動所必需的熱能，並能促進維生素A、D、E、K的吸收，同時也是其汁液甜度、肉味與咀嚼柔軟度的影響關鍵。肉類還是礦物質的良好來源，特別是合成血紅蛋白、肌紅蛋白和某些酵素必需的鐵（而且是容易為人體所吸收的可吸收鐵），及生長、傷口癒合、免疫力、味覺靈敏性、DNA合成不可或缺的鋅。在維生素方面，其均含有大量的B群（其中豬肉B1、B6和B12更豐富，雞肉尤富含菸鹼酸、B1、B6和B12，牛肉則多B6與B12）。

豬絞肉是消費大宗

絞肉的種類很多，舉凡豬、牛、羊、雞、鴨等都是來源，不過因肉食習慣影響，國人吃的絞肉以豬肉最多，其次是牛、雞，羊絞肉則常見於異國餐飲上。

豬肉是漢民族最喜愛的肉類，從周朝開始，中國人就會烹製豬肉了，即使是飲食習慣已逐漸西化的今日，我們吃豬肉的人口還是比牛肉的多。比較起來，豬的脂肪多而均勻，所以肉質普遍柔軟，在料理上可以廣泛的運用，拿來作絞肉也較沒有部位的限制。最常用到的是前腿肉、後腿肉與五花肉。前腿肉即豬前腿部的肌肉（俗稱胛心肉），油脂比較多一點，肉質比較軟嫩，絞碎入菜作餡、快炒慢煮

都很適宜；後腿肉因脂肪較少、肉質較老，多以紅燒、滷煮等需時較長的烹調方式處理；腹部下方肌肉與脂肪分層交疊的地方是五花肉（又稱三層肉），脂肪含量最高，因為油性夠，所以肉味濃且甜嫩，拿來作滷肉或獅子頭尤其對味。

由於脂肪多，可以提高黏稠性與滑潤度，所以豬絞肉常摻混在牛、雞、羊的絞肉中，形成所謂的「合肉」。

● 牛雞羊絞肉要注意油脂比例

牛各部位的脂肪含量大有不同，因此肉質的柔軟度及肉味也就相差甚多，連帶大大影響價錢。牛絞肉一般取材自牛腱肉、腰腹肉與肩頸肉等部位，這些地方的肉較老硬了點，且瘦肉與脂肪交互摻雜，非屬昂貴的高級肉，但剁碎或絞細來煎、煮、炒、醃、燒、燉都滿順口的。

如果你沒有特別指定，一般超市或牛肉攤的絞肉裡通常會加一些豬油，因為現成的牛絞肉主要是用沒有筋的剩餘瘦肉去絞的，本身油脂含量比較不夠而稍嫌乾澀。製作牛肉餡餅、漢堡肉和牛肉丸子時，更需要添加豬油，一來不易鬆散，二來增加潤滑感。

在肉類中屬於高蛋白、低脂肪的雞肉，因肉質比較柔軟，越來越為消費者鍾愛，通常是用脂肪少、肉柔細、味道清淡的雞胸肉來作絞肉。雞絞肉在傳統市場比較買得到，而且多半會摻加些豬油或雞皮，免得太澀；高級一點的話，則是放點帶有些許油脂的里肌肉。

印尼的沙嗲羊肉、土耳其的羊肉披薩、希臘的羊肉派、印度的串燒碎羊肉、羊肉球咖哩、羊肉餃，是知名且各具風味的羊絞肉異國料理。由於腥羶味重，除了炒沙茶、涮羊肉或羊肉爐等之外，我們比較少吃羊肉，用到羊絞肉的中式餐點就更少了。原則上是以肩肉、脛骨肉與腰腹肉去絞碎，再混些雞絞肉或豬絞肉（因為羊肉普遍脂肪較少）去腺、提升黏稠性與滑潤度。

當然囉，家畜身上只要有肉的各部位都可絞細當絞肉，因此許多傳統市場的肉販會將賣剩的零碎肉和肉質不佳的肉絞來賣，基於新鮮、健康與口感，奉勸你少買這類現成絞肉，最好根據做菜需求，先挑選你所要的部位，再交給肉攤老闆當場絞碎。

肉色與味道是選購標準

傳統市場裡，肉攤上的肉品多為現宰的溫體肉；超級市場中，則是切割包裝完成的冷藏肉或冷凍肉。

若你習慣到選擇性比較高的傳統市場買菜的話，就必須知道擺在常溫下的肉品，經過一段時間，細菌便會大量繁殖，尤其近午時分，腐壞的可能性更高，因此建議你早上九點以前到市場買肉比較衛生。

若經常上超市買肉，應留意肉類冷藏櫃的溫度是否保持在2℃以下、冷凍櫃的溫度有沒有在-18℃以下，以確保肉的新鮮度。

選購時，色澤淡紅、富有光澤、脂肪結實的豬絞肉，品質可以放心；顏色鮮紅或暗紅、脂肪白而帶有黏膩感、有一股清淡牛肉香味的牛絞肉，吃起來柔軟甘美；新鮮活宰雞的絞肉白中帶微紅、氣味正常、乾燥有光彩；好的羊絞肉肉色鮮紅，整塊肉的脂肪分布呈大理石花紋、均勻而白。

保存與解凍都要確保新鮮美味

由於表面積較大，易遭受細菌感染，絞肉不只保存時間需縮短，也要講究方法。

在市場買好絞肉後，最好在半小時內回到家，當天或隔天要烹煮的馬上貯放在冷藏室，過兩天以後才要吃的則趕緊置入冷凍室。原則上，絞肉冷藏以1～2天、冷凍以3個月內為最佳保存期限，過期的話容易變質生菌。

要冷凍的絞肉應先放進密封袋中，壓平、擠出袋內空氣，再以筷子壓出棋盤形狀、密封，置於冷凍庫裡，烹煮前只要輕輕一撥，就可取下需要的份量，而且解凍也快。

冷凍絞肉應在調理前一晚取下，連同包裝袋一起改放進冷藏室，在低溫下慢慢除霜退冰，這是最理想的解凍方式，可以減少風味與肉汁的流失。如果急著下鍋，可將絞肉用密封袋確實封好，以流動的水沖洗、快速解凍（切不可讓肉浸觸到水）。最不妥的就是直接擱在室溫下解凍，因為容易被污染、散失水分而影響口感。冷凍絞肉千萬不要反覆冷凍與解凍，以免傷及肉品組織、遭受污染、肉質轉劣。

小小玩意兒，大大的好用

◉ 快熟、煮法多、搭配性更讚

因為顆粒小，絞肉受熱均勻且熟成快，是趕時間的好食材，假如妳是職業婦女平日更應存放一些絞肉，以備不時之需。

軟細易咀嚼，是絞肉另一個優點。蒸煮、串烤、焗炸、溜燴、滷燒、快炒，它們都擅長；當成澆頭、湯料、內餡、丸子、配菜，也都沒有禁忌，實在是隨和得可以。

再告訴你幾招烹調絞肉的「撇步」，讓你掌廚更得心順手：

為消除肉類的腥臭味，增加芳香，不妨酌用辛香料。中菜常用胡椒、五香粉、蔥、薑；東南亞地區偏好使用茴香、丁香、豆蔻、檸檬草、大蒜、辣椒、椰子、南薑、黃薑、紅蔥頭、咖哩；歐美國家以羅勒、迷迭香、薄荷、月桂葉、肉桂、奧力岡、小茴香、大蒜、芥末等為主。或醃或拌或沾，但請記住要拿捏份量，切莫去腥提鮮過頭而搶了肉的原味。

蔬菜的清香可以凸顯肉的甘美、促進食欲，而只要少許的絞肉就能抬高青菜的身價，兩者互相幫襯的效果極好。豬雞絞肉最常與貢菜、雪裡紅、韭菜花、酸豆、菜豆、毛豆、蘿蔔乾、草菇、竹筍等同炒，牛絞肉則多配以甜椒、洋蔥、芹菜、蘆筍、百合、番茄、紅蘿蔔、蘑菇、鳳梨等菜。

不論哪種烹調法，羊肉都要趁熱進食，否則一旦冷卻、脂肪凝固，特有的羊臊味就會散發無遺。

豬肉常帶有寄生蟲或某些人畜共通的傳染病，所以一定要煮到熟透才吃。

若作為餛飩、餡餅或包子之類的內餡，不妨多絞一次，使肉質更細膩，拌好之後，還要打出漿汁、溶出油脂，變成泥狀、有彈性的餡團再包上麵皮去蒸烤，餡料咬感滋味絕對更上層樓。

① Meat Balls

丸子類

圓滾滾的肉丸子不僅容易入口，

外型也十分討喜可愛，

無論蒸、煮、烤、炸、燴，

道道都是好滋味。

紅燒獅子頭

大白菜

● 材料 INGREDIENTS

胛心絞肉1/2斤、荸薺6粒、蔥末、薑末各1小匙、青江菜4兩。

●● 調味 SAUCE

1 鹽、胡椒粉各1/3小匙、香油2大匙、蛋白1個、水3/4杯、太白粉1大匙。

2 醬油5大匙、糖1 1/2大匙。

3 水2杯、太白粉1小匙（勾芡用）。

●●● 做法 RECIPE

1 荸薺去皮、拍碎，與絞肉一起放在砧板上，用刀仔細剁到非常滑細，加入蔥末、薑末及調味料1充分拌勻，甩打至有彈性（圖1）。

2 將餡料分成4～5個大肉丸，放入七分熱的油鍋中，以中小火炸至表面呈金黃色。

3 將調味料2放入另一只小鍋中燒開，放進炸黃的大肉丸，以小火燜煮至軟爛，再以太白粉水勾薄芡。

4 青江菜剝去老葉、洗淨，放入加有鹽的滾水中燙熟，撈起置於盤中，最後放上煮好的獅子頭即可。

大白菜

清香甜美的大白菜屬冬季蔬菜，含蛋白質、脂肪、醣類、粗纖維、鈣、磷、鐵及多種維生素，營養豐富，葷素皆宜。大白菜除了可以入菜，還可食療，具有養胃、利便、利尿、降脂等功效。

獅子頭好吃的秘訣

做獅子頭的絞肉最好不要太瘦，吃起來才會滑嫩順口。在製作的過程中，必須用刀仔細剁碎，讓肉產生膠質，再利用甩打的力量讓肉質更富有彈性。

湯汁再利用

獅子頭燉煮出來的湯汁鮮甜可口，用來煨大白菜也十分美味喔！

❶

荸薺

廣東人稱「馬蹄」，具有清熱解毒、消除疲勞的功效，適合在炎炎夏日裡食用。肉泥中加入荸薺，主要是為了增加口感，使肉丸更具咬勁。

糯米

糯米有長糯米與圓糯米之分，長糯米比較Q，適宜做鹹點；圓糯米較軟黏，適宜做甜點。為了維持肉丸軟滑的口感，蒸煮的時間不宜過長，因此糯米一定要先浸泡，才容易蒸熟。

吉祥丸子

象徵圓滿、團圓的珍珠丸子是一道湖北菜，因蒸出來的糯米一顆顆油亮亮的，像顆小珍珠，故而得名。這道菜餚可當主食，適合自助餐或酒會時食用。

珍珠丸子

料料 INGREDIENTS

細胛心絞肉1/2斤、荸薺6粒、蔥末、薑末各1大匙、蝦米2大匙、蛋1個、長糯米2杯、香菜末、紅蘿蔔末各1小匙。

●● 調味 SAUCE

鹽1小匙、胡椒粉1/2小匙、香油1大匙、水1/2杯、太白粉1大匙。

●●● 做法 RECIPE

1 蝦米泡軟、瀝乾水份、剁碎備用，荸薺去皮、拍碎。

2 糯米泡水2小時，瀝乾水份備用。

3 將絞肉、蝦米末、荸薺末、蔥末、薑末混合，加入蛋及調味料充分攪拌均勻，即為餡料。

4 左手抓餡料，由虎口擠出小圓球，沾上糯米，排於盤中（圖1），放入蒸鍋中，以大火蒸20分鐘，熄火後再燜3分鐘，即可取出。

5 將香菜末、紅蘿蔔末撒在珍珠丸子上即可。

❶

肉丸三兄弟

細胛心絞肉1/2斤、荸薺5粒、蔥末、薑末各1小匙、竹串4支。

醬油1大匙、鹽1/2小匙、胡椒粉、五香粉各1/4小匙、香油1大匙、水1/2杯、太白粉1大匙。

醬油3大匙、味霖2大匙。

1 荸薺去皮、拍碎,與絞肉、蔥末、薑末、調味料充分攪拌均勻,即為餡料。

2 左手抓餡料,由虎口擠出小肉丸,置於盤中,放入蒸鍋以中火蒸7分鐘,取出放涼。

3 取出竹串,每3個肉丸串成一串,分別刷上醬料,再放入烤箱或爐架上烤至外表微微焦黃。

4 食用時,可撒些海苔粉或白芝麻,更加美味。

變化

喜歡香酥口感的人不妨改以油炸方式:先在肉丸上裹上一層麵包粉,放入油鍋中炸酥,最後撒上海苔粉即可。

自製味霖

味霖是日本料理中常用的甜料酒,由甜糯米釀製而成,色透明而味甜,可去除腥味、增加食物風味,在一般超市都可以買得到。烹調時,如果一時沒有味霖可用,可以酌加糖代替調味(1大匙味霖＝1大匙酒＋1小匙糖)。

芋頭削皮手不癢

削皮的芋頭上帶有滑滑的黏液,這便是使我們皮膚發癢的元兇;因此,在處理芋頭前,最好先戴上手套,以防皮膚接觸到黏液;或是將手浸泡在熱水中,即能止癢。

芋頭丸子

● 材料 INGREDIENTS

胛心絞肉1/2斤、芋頭1/2顆、蔥末、薑末各1小匙、蝦米末1大匙、海苔粉1/2小匙。

●● 調味 SAUCE

鹽1/2小匙、胡椒粉1/3小匙、水1杯、太白粉1大匙。

●●● 做法 RECIPE

1 芋頭去皮,切小丁備用。

2 絞肉、蔥末、薑末、蝦米末混合,加入調味料拌勻,即為餡料。

3 由虎口擠出小肉丸,分別沾上芋頭丁,排於盤中(圖1),放入蒸鍋中,以中火蒸8分鐘。

4 上桌前可撒些海苔粉,更加可口。

①

小豆苗

醋溜丸子

● 材料 INGREDIENTS

細胛心絞肉1/2斤、荸薺6粒、蔥末、薑末各1小匙、蛋1個、蒜末1大匙、小豆苗1/2斤。

●● 醬味 SAUCE

1 鹽、胡椒粉各1/3小匙、香油1大匙、水1/2杯、太白粉1大匙。

2 醬油3大匙、番茄醬3大匙、糖3大匙、白醋3大匙、水3大匙、太白粉1小匙。

●●● 做法 RECIPE

1 荸薺去皮、拍碎，與絞肉、蔥末、薑末、蛋混合，加入調味料1充分拌勻，即為餡料。

2 取餡料，由虎口擠出小肉丸，放入七分熱的油鍋中，以中小火炸至金黃色，撈起備用。

3 起油鍋，加入2大匙油，炒香蒜末，放入調味料2燒開，加入肉丸燴一下即可裝盤。

4 另起油鍋，加入3大匙油，用大火將小豆苗快炒至軟，加鹽調味，圍於盤邊。

繡球丸子

材料 INGREDIENTS

細胛心絞肉1/2斤、荸薺5粒、蔥末、薑末各1小匙、蝦仁2兩、香菇2朵、青江菜1/2斤、蛋3個。

●● 調味 SAUCE

1 鹽1/2小匙、胡椒粉1/3小匙、香油1大匙、水3/4杯、太白粉1大匙。

2 鹽、胡椒粉各1/4小匙、香油1大匙、高湯1/2杯、太白粉1小匙。

●●● 做法 RECIPE

1 蝦仁抽去腸泥，用鹽抓洗、擦乾水份，壓成泥狀。香菇泡軟，切成細末。荸薺去皮、拍碎。

2 絞肉、蝦泥、香菇末、蔥末、薑末、荸薺末混合，加入調味料1拌勻，即為餡料。

3 蛋打散，放入平底鍋中，分次煎成蛋皮，切成細絲。

4 取餡料，由虎口擠出小肉丸（圖1），沾上蛋皮絲，排入盤中，放進蒸鍋裡，以中大火蒸8分鐘，取出另排於盤中。

5 青江菜去老葉、硬梗，洗淨後放入加有少許鹽及油的滾水中燙熟，撈出、瀝乾水份，排於盤邊。

6 調味料2燒開，勾薄汁、淋於繡球丸子上。

❶

芙蓉干貝丸子

● 材料　I N G R E D I E N T S

細胛心絞肉1/2斤、蝦仁2兩、香菇2朵、薑末1小匙、干貝4粒、荸薺4粒、蛋2個。

調味　S A U C E

1 鹽1/2小匙、胡椒粉1/3小匙、香油1大匙、水3/4杯、太白粉1大匙。

2 鹽、胡椒粉各1/4小匙、香油1大匙、高湯1/2杯、太白粉1小匙。

●●● 做法　R E C I P E

1 蝦仁抽去腸泥，用鹽抓洗，擦乾水份，剁成泥狀。香菇泡軟、切成細末，荸薺去皮、拍碎。

2 干貝加酒（蓋過），放入鍋中蒸30分鐘至軟化，取出剝成細絲（圖1）。

3 絞肉、蝦泥、香菇末、薑末、荸薺末混合，加入調味料1拌勻，即為餡料。

4 蛋打散，加入少許鹽及1杯水充分拌勻，用濾網過濾至盤中。

5 取餡料，由虎口擠出小肉丸，沾上干貝絲排於蛋液盤中，放入蒸鍋蒸10分鐘。

牛肉丸子

◼ 材料 INGREDIENTS
牛絞肉1/2斤、陳皮1片、蔥1支、薑3片、西洋菜1把。

●● 調味 SAUCE
酒1大匙、鹽1小匙、胡椒粉1/4小匙、太白粉1大匙。

●●● 做法 RECIPE
1 陳皮加1碗水浸軟，陳皮水留下備用，陳皮切成細末。

2 牛絞肉、陳皮細末、薑末混合，加入陳皮水、調味料
  充分攪拌均勻，即為餡料。

3 西洋菜摘下嫩葉洗淨，舖在蒸籠盤內，餡料捏成中型
  肉丸置於其上，放入蒸鍋以中大火蒸10分鐘。

陳皮

即曬乾的橘子皮，具有治咳、
去痰、降火氣等功效。對於一
些味道較為腥濃的食材，如：
豬、牛、羊肉類或動物的內臟
等，加入陳皮及陳皮水，可以
達到去腥、增加肉質嫩度的效
果。陳皮也可以自製：將橘子
皮串起，懸掛在通風良好的地
方，曬乾至可輕易折斷的程度
即可。

陳皮

小茴香肉丸子

● 材料 INGREDIENTS

絞肉1/2斤、洋芋2個、洋蔥丁1/2碗、檸檬片。

●● 調味 SAUCE

小茴香1小匙、鹽1小匙、太白粉1大匙。

●●● 做法 RECIPE

1 洋芋煮熟壓成泥，與洋蔥丁、絞肉混合，加入調味料拌勻，即
　為餡料。

2 由左手虎口擠出餡料成小圓球，放入180℃油鍋中，炸至外表
　呈金黃色撈出。

3 油溫繼續加熱至九分熱，再放入肉丸子回鍋炸10秒鐘，撈出、
　瀝去油漬，排盤。

4 滴點檸檬汁，更加可口。

茴香

茴香是一種香料，在新疆稱作
「孜然」，與肉類搭配非常對
味，一般中藥行即可買到。

油炸食物好吃的秘訣

油炸食物要做到口感香酥卻不
油膩，主要在於油溫的控制。
下鍋時的油溫不宜太高，以免
食物一下子就變得焦黑；起鍋
前則改用大火稍炸數秒，或先
撈起、再回鍋以大火炸，這樣
便可逼出部分的油，讓你吃起
來不會太油膩。

小茴香

咖哩羊肉串

咖哩粉

● 材料 INGREDIENTS

細羊絞肉1/2斤、小茴香1小匙、薑末1小匙、竹串3支、太白粉4大匙。

●● 調味 SAUCE

酒1大匙、鹽1/2小匙、咖哩粉1大匙、陳皮水1/2杯、太白粉2大匙。

●●● 做法 RECIPE

1 羊絞肉、小茴香、薑末混合，加入調味料拌勻，即為餡料。

2 將肉餡做成圓球狀，沾上薄薄一層太白粉當裹衣，放入七分熱的油鍋中炸熟後，用竹串串起即可。

咖哩

原產於印度，由多種乾燥辛香料組成，有粉狀及塊狀兩種，前者保存期限較長，後者則有多種口味可供選擇，在一般超市均可買到。

羊肉

常聽老人家說，吃羊肉可以達到「男壯陽，女補血，小孩助發育」的功效，可見羊肉是一種非常營養的肉類，只不過它特有的腥羶味，常教人敬而遠之，所以，一般羊肉料理都會加入一些辛香料，如：茴香、咖哩、陳皮等，不僅去腥，還可為食物增添另一種獨特風味。

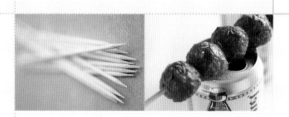

肉丸子燴蔬菜

材料 INGREDIENTS

牛絞肉、豬絞肉各4兩、蔥末、薑末各1小匙、洋芋1
個、洋蔥1個、白花菜1/2朵、番茄1個、青椒、黃
椒、紅椒各1/3個、番茄顆粒罐頭1罐、蒜末1大匙、
義大利綜合香料1大匙。

●● 調味 SAUCE

1 鹽、胡椒粉各1/3小匙、水4大匙、太白粉1大匙。
2 鹽1小匙、胡椒粉少許。

●●● 做法 RECIPE

1 洋芋、洋蔥、番茄、青椒、黃椒、紅椒洗淨切
　片，白花菜切小朵。
2 牛絞肉、豬絞肉、蔥末、薑末混合，加入調味料1
　拌勻，即為肉餡。
3 將肉餡擠成圓球，放入170℃油鍋中，炸至微黃。
4 另起油鍋，加入4大匙奶油，炒香蒜末，放入洋蔥
　片等蔬菜拌炒片刻，加入3杯高湯或水燒開，加入
　肉丸子、番茄罐頭，以小火燜煮10分鐘，最後加
　入調味料2拌勻即可。

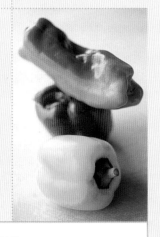

替代

這道菜餚放進了各色各樣的蔬菜，既
好看又好吃。由於市面上進口甜椒的
價格比青椒高出許多，也可以改用紅
蘿蔔、小黃瓜、洋菇片來替代，不僅
顏色豐富，營養價值也很高喔！

番茄罐頭

目前市面上除了番茄醬外，也有販售
整粒的番茄罐頭，你可以將食譜中的
番茄省略，全部以罐頭來替代，十分
方便。要注意的是，罐頭食品多已調
味，因此在烹調時，味道方面要小心
斟酌。此外，市面上也可以買到加了
義大利香料的進口番茄罐頭（在好市
多或大型超市可買到），故調味料
中可不加綜合香料。

② Ground Meat

碎肉類

你是否正為孩子吃不下飯而煩惱呢？

這裡有10道

令人食指大動的「開胃秘笈」，

包你道道開胃、餐餐見底。

肉末貢菜

● 材料 INGREDIENTS

粗胛心絞肉4兩、貢菜4兩、辣椒1支、薑末、蒜末各1小匙。

●● 調味 S A U C E

醬油2大匙、鹽1/2小匙、水2大匙。

●●● 做法 R E C I P E

1 貢菜浸泡在清水中30分鐘，使之漲大（圖1），擠乾水份，切去老硬蒂頭及尾端，切成細末。

2 起油鍋，加入4大匙油炒香辣椒末、薑末、蒜末，放入絞肉炒熟，最後放入貢菜拌炒，加入調味料拌勻。

貢菜

貢菜還有個很貴氣的名字，叫做「皇帝菜」，據說是古時候專門進貢給皇帝的貢品。目前市面上所販售的貢菜多為乾貨（可在迪化街買到），因此使用前必須先浸泡在清水中，使其發漲。由於貢菜本身爽脆無味，且料理起來也不容易入味，因而適合重口味的做法。

貢菜

替代

貢菜亦可改用雪菜、韭菜花、酸豆或菜脯替代，皆是非常下飯的家常菜。

涼拌貢菜

炎炎夏日裡，來道涼拌貢菜，既爽口又開胃，做法也很簡單喔！將貢菜洗淨、浸泡、切小段，用熱水汆燙後，再以冷水沖至涼透，瀝乾水份，加入蒜末、辣椒末、少許的糖、鹽、香油，撒上白芝麻拌勻即可。

肉末焗蛋

材料 INGREDIENTS

粗胛心絞肉6兩、蛋4個、芹菜末、紅蘿蔔末各1大匙。

●●調味 SAUCE

鹽1小匙、白胡椒1/3小匙、水1杯。

●●●做法 RECIPE

1 蛋打散，加入絞肉、芹菜末、紅蘿蔔末與調味料拌勻，倒入焗盤中。

2 焗盤放入烤箱中，以160℃上下火一起烤約25分鐘，至蛋液凝固。

3 取出時可撒些巴西里末，既美觀又可口。

變化

這道肉末焗蛋除了絞肉和蛋兩位主角外，也可以依個人喜好，加入不同的素材於肉餡內，如洋菇、香菇等，讓口味多些變化。

洋菇

鹹蛋蒸肉末

材料 INGREDIENTS

粗胛心絞肉1/2斤、生鹹鴨蛋黃4個、薑末1大匙。

●● 調味 SAUCE

酒1大匙、醬油2大匙。

●●● 做法 RECIPE

1 絞肉、薑末與調味料混合拌勻，置於深底水盤中。

2 每個鹹蛋黃分切成兩半，均勻置於肉泥上，放入蒸鍋中，以中大火蒸20分鐘。

鹹魚

屬於高鹽食品，其做法是將鮮魚去除內臟，洗淨後瀝乾水份，再以大量的鹽醃漬而成。由於鹹魚本身很鹹，故絞肉不須要再調味。

鹹魚肉餅

●材料 INGREDIENTS

粗夾心絞肉1/2斤、鹹魚1方塊。

調味 SAUCE

酒2大匙、水1杯。

●●●做法 RECIPE

1 絞肉加入酒、水拌勻，置於水盤中。

2 鹹魚洗淨切片，舖在絞肉上（圖1），放入蒸鍋蒸20分鐘即可。

肉末鑲茭白

● 材料 INGREDIENTS

細胛心絞肉1/2斤、小茭白筍3支、蔥末、薑末各1小匙、太白粉1/2杯。

調味 SAUCE

醬油2大匙、鹽、胡椒各1/2小匙、香油1大匙、水1/2杯、太白粉2大匙。

●●● 做法 RECIPE

1 茭白筍切去頭部較老的部份，剝去葉片，留下尾端葉部，放入滾水中煮熟，取出擦乾水份。

2 用小刀在茭白筍上劃出紋路（圖1），抹上薄薄一層太白粉備用。

3 絞肉、蔥末、薑末混合，加入調味料拌勻，即為餡料。

4 取約3大匙左右的餡料，包裹做法2的茭白筍（圖2），然後在餡料上再沾上薄薄一層太白粉，排入烤盤中，以180℃上下火烤約15分鐘。

5 食用時可沾椒鹽或甜辣醬。

茭白筍

夏天，正是茭白筍盛產的季節，無論是涼拌、炒食或是煮湯，清甜多汁的味道，都讓人忍不住要多吃幾口。

劃紋路

在茭白筍上劃紋路，其目的是為了使餡料容易包裹住，不至滑溜。

小叮嚀

食物放進烤箱前，最好先在烤盤上舖上一層鋁箔紙，如此就不必再費力的去清洗烤盤了。

茭白筍

甘蔗肉末

● 材料 INGREDIENTS

細胛心絞肉6兩、蝦仁6兩、蔥末、薑末各1小匙、甘蔗1段（約15公分長）、太白粉1/2杯。

●● 調味 SAUCE

鹽1小匙、胡椒粉1/2小匙、水4大匙、太白粉2大匙。

●●● 做法 RECIPE

1 甘蔗切成4長段，邊緣用刀略修圓。

2 蝦仁抽去腸泥、用鹽抓洗、擦乾水份、剁成泥狀。

3 絞肉、蝦泥、蔥末、薑末混合，加入調味料拌勻，即為餡料。

4 甘蔗段抹上薄薄一層太白粉，取3大匙左右餡料，包裹至3/4處，然後在肉餡表面再沾上薄薄一層太白粉，用手輕按使之緊密。

5 油燒至七分熱，放入甘蔗棒，以中火炸至金黃色即可。

雞肉鬆

材料 INGREDIENTS

粗雞絞肉1/2斤、香菇2朵、荸薺6粒、毛豆2大匙、紅蘿蔔丁1大匙、薑末1大匙、細米粉1小片、生菜葉8片。

●● 調味 SAUCE

1 酒1大匙、醬油2大匙、胡椒粉1/2小匙、蛋黃1個、太白粉1大匙。

2 醬油2大匙、黑醋1大匙、糖1大匙、鹽、胡椒粉各1/4小匙、水2大匙、太白粉1小匙。

●●● 做法 RECIPE

1 香菇泡軟、切小丁。荸薺去皮、切小丁。毛豆燙熟備用。

2 米粉放入九分熱的油溫中，炸至漲大微黃，撈出瀝去油漬，舖於盤底。

3 絞肉與調味料1攪拌均勻。

4 起油鍋，加入5大匙油燒熱，放入絞肉炒至八分熟，撈出去油漬。

5 另起油鍋，加入3大匙油，先炒香薑末、香菇丁，再放入荸薺炒熟，加入調味料2燒開，接著放入炒好的絞肉、紅蘿蔔丁、毛豆拌炒片刻，取出置於米粉之上。

6 取生菜葉包裹雞肉鬆食用。

變化

不喜歡吃生菜葉的人可以改用春卷皮、斤餅取代。此外，米粉也可變換成粉絲、餛飩皮或是老油條。

蒼蠅頭

豆豉

黑黑的豆豉摻雜在其中，看起來就好像一隻隻黑頭大蒼蠅一樣，這道「蒼蠅頭」的名稱便是由此而來。豆豉是由大豆黑色種子經加工發酵而成的醃漬品，由於本身已具鹹味，故鹽不需放太多。

替代

可以改用蒜苗代替韭菜花，做出來的效果一樣翠綠好吃。

● 材料 INGREDIENTS

豬絞肉4兩、韭菜花1/2斤、豆豉2大匙、辣椒1支。

●● 調味 SAUCE

鹽1/2小匙、胡椒粉少許。

●●● 做法 RECIPE

1 韭菜花洗淨，切成細末。辣椒切成圈圈狀。

2 起油鍋，加入4大匙油炒辣椒、豆豉片刻，放入絞肉炒散，再加入韭菜花拌炒，接著加入2大匙水翻炒片刻後，加上調味料拌勻。

蒜苗牛肉末

● 材料 INGREDIENTS

粗牛絞肉1/2斤、青蒜苗3支、辣椒2支。

●● 調味 SAUCE

醬油2大匙、鹽1/2小匙、胡椒分少許。

●●● 做法 RECIPE

1 青蒜洗淨、切末。辣椒切成圈圈狀。

2 起油鍋，加入5大匙油，先炒辣椒，
  再放入牛肉末拌炒，加入青蒜末以大
  火快炒，最後加入調味料拌勻。

蒜苗

蒜苗

外觀狀似青蔥，常教人難以
分辨，不過，蒜苗的莖部較
青蔥粗，呈圓球狀，葉片則
較扁。購買時，以色澤青
翠、枝桿挺直者為上品。和
蔥、薑、蒜一樣，蒜苗也具
有去腥解毒的功效，常用於
肉類料理上。

辣椒

辣椒

含有豐富的維他命A、C，具
去腥、殺菌、防腐、禦寒、
刺激食欲等功效。辣椒的辣
味主要來自於種子，外皮屬
中辣程度，因此，怕辣的人
不妨先將種子剔除，以減輕
辣度。

魚露

將海魚與鹽混合、發酵後,加入檸檬、大蒜、糖、辣椒等調製而成的調味品,味道鮮美、甜辣,是泰國、越南料理中不可少的靈魂主角。

米香

加入焦黃壓碎的米可使這道菜增添獨特的米香。將生米放入乾鍋中,以小火慢炒至米粒呈金黃微褐的程度,然後再壓碎即可。

這道清淡、開胃、不油膩的涼拌菜,適合口味較淡的人食用。

泰式
涼拌碎肉

材料 INGREDIENTS

豬絞肉5兩、雞絞肉5兩、粉絲1把、炸蝦米2大匙、炸熟碎花生2大匙、蔥末、香菜末、辣椒末、紅蔥頭末、芹菜末各1大匙、生菜10片。

●● 調味 SAUCE

1 魚露4大匙、糖2大匙、檸檬汁2大匙、蔥末、紅蔥頭末、香菜末、薄荷葉切末各1小匙。

2 炒焦黃壓碎的米1小匙。

●●● 做法 RECIPE

1 粉絲、豬絞肉、雞絞肉分別燙熟。

2 粉絲沖冷水漂涼、墊於盤底,豬絞肉、雞絞肉與調味料1、2混合拌勻,置於其上。

3 食用前撒入炸蝦米、碎花生、蔥末、香菜末、辣椒末等。

4 以生菜包裹食用,或以燙過的高麗菜葉包捲食用。

③ Meat Fillings

絞肉最大的好處在於可主可輔，

搭配性極強，

即使與其他食材同為主角

也不會互掩其鋒，

反而能讓人同時擁有兩種口感、雙重享受。

鑲肉類

紅燒油麵筋

● 材料　I N G R E D I E N T S

細胛心絞肉1/2斤、油麵筋4兩、大白菜1顆、蔥末、薑末各1小匙、蝦米1大匙。

調味　S A U C E

1 鹽、胡椒各1/4小匙、香油1小匙、水4大匙、太白粉1大匙。
2 醬油5大匙、糖1 1/2大匙、太白粉1小匙、香油1大匙。

●●● 做法　R E C I P E

1 大白菜洗淨、剝成片狀。

2 蝦米泡軟、剁碎,與絞肉、蔥末、薑末混合,加入調味料1拌勻,即為餡料。

3 用筷子將油麵筋叉個小洞,鑲入少許餡料(圖1),分別做好。

4 起油鍋,加入3大匙油,放入大白菜拌炒片刻,加入鑲肉油麵筋及調味料2燒開,改用小火燜煮至肉熟、大白菜軟爛為止,最後以太白粉水勾薄芡、滴香油即可。

油麵筋

這類的豆類加工品在一般商家或素食專賣店都可以買到,不怕麻煩的人還可自己做:將麵粉加水攪拌成具有彈性之麵糰,靜置一段時間後,再放入流動的水中搓洗,待麵糰中的澱粉、水溶性物質洗出後,剩下的就稱為麵筋,經油炸者為油麵筋,未經油炸者則為水麵筋。

炸金花

細胛心絞肉1/2斤、油豆腐果10粒、蝦米1
大匙、蔥末、薑末各1小匙。

鹽1/2小匙、胡椒粉1/2小匙、香油1大
匙、水1/2杯、太白粉1小匙。

1 油豆腐果對角切成
   兩半,挖去豆渣、
   翻面過來(圖1)。

2 蝦米泡軟、剁碎,
   與絞肉、蔥末、薑
   末混合,加入調味料拌勻,即為餡料。

3 裝適量的餡料於三角豆腐果中壓緊,放
   入七分熱的油鍋中,以中火炸至金黃。

油豆腐果

由於油豆腐果內要填入餡料,故購買時最好選擇體積較大、輕按時感覺較鬆軟的
為佳,如此餡料才能裝得較多。

油豆腐果

金花三吃

這道炸金花有多種吃法:直接單吃,可沾胡椒鹽或甜辣醬食用;或是與大白菜同
燴,做成紅燒金花;此外,它還可以作為湯料,與大黃瓜、筍、冬瓜等一起煮
湯,味道也很鮮美喔!媽媽們可以一次多做一些,剛炸好的最好直接蘸料吃,滋
味最棒;吃不完的則可放在冰箱裡冷凍,日後再拿出來做為紅燒或湯品的食材。

照燒油豆腐
鑲肉

細胛心絞肉1/2斤、日式油豆腐4兩、蔥末、薑末各1小匙、香菜少許。

●● 調味 S A U C E

1 鹽、胡椒粉各1/2小匙、香油1大匙、水3/4杯、太白粉1大匙。

2 醬油4大匙、味霖4大匙、水1杯。

●●● 做法 R E C I P E

1 絞肉、蔥末、薑末混合,加入調味料1拌勻,即為餡料。

2 油豆腐劃一刀口,填入適量餡料。

3 鍋中放入調味料2及包餡的油豆腐燒開,以小火燜至汁液微乾。

4 起鍋時撒點香菜即可。

替代

現在市面上也有販售各種日式醬汁,你
可以直接買照燒醬來料理,十分方便。

雀巢蛋

1 絞肉、蔥末、薑末混合、加入調味料拌勻，即為餡料。

2 鴿蛋擦乾水份，先沾抹一層薄薄的太白粉，再取2大匙餡料包裹住（圖1），接著再沾上一層麵包粉（圖2）。

3 油燒至七分熱，放入做法2料，以中火炸至金黃色。

❶

❷

替代

市面上所賣的鴿蛋（即鵪鶉蛋）都是已經煮好且剝好殼的，你也可以用一般的雞蛋代替鴿蛋，只是得多一道水煮、去殼的動作。

清蒸苦瓜封

細胛心絞肉1/2斤、苦瓜1條、蔭瓜1罐、毛豆2大匙、太白粉2大匙。

●●●做法 R E C I P E

1 苦瓜對剖兩半、挖去籽，放入油鍋中，以八分熱油炸至微黃，撈出、瀝去油漬。

2 絞肉、蔭瓜及罐頭裡的湯汁混合拌勻，加入太白粉拌成餡料。

3 將餡料分別鑲入苦瓜中，放入蒸鍋蒸40分鐘至軟爛。

4 裝盤時，撒上煮熟的毛豆，增加口感及色澤。

苦瓜

苦瓜

雖然大多數的人不太能接受苦瓜的味道，但它確實是一種營養價值極高的蔬菜，既可消暑去火，又能強健牙齦，無論是涼拌、熬湯、打汁，都很適宜。

小叮嚀

由於蔭瓜罐頭本身即有鹹味，故不須添加其他調味料，以免口味過重。

一品刺參

材料 INGREDIENTS

細胛心絞肉4兩、蝦仁4兩、刺參4隻、荸薺4粒、蔥末、薑末各1小匙、紅蘿蔔末1小匙。

●●調味 SAUCE

1 鹽、胡椒粉各1/2小匙、香油1大匙、水4大匙、太白粉1大匙。

2 鹽、胡椒粉各1/4小匙、香油1大匙、高湯1/2杯、太白粉1小匙。

●●●做法 RECIPE

1 刺參去除內臟，清洗乾淨，用紙巾拭去內部水份。

2 蝦仁抽去腸泥，用鹽抓洗，擦乾水份，剁成泥狀，與絞肉、荸薺末、蔥末、薑末、紅蘿蔔末、調味料1混合拌勻，即為餡料。

3 取適量餡料鑲入刺參中，放入蒸鍋，以中火蒸8分鐘後，取出排盤。

4 將調味料2放入鍋中燒開，勾薄芡，淋在刺參上。

> **刺參**
>
> 海參類中品質最優的品種，含有豐富的蛋白質、膠質及碘，是少數不含膽固醇的海產類食物，極適合老年人食用。選購時，以肉質厚實、肉刺挺拔、體內無泥沙及下陷缺刻者為佳。

焗茄子

● 材料 I N G R E D I E N T S

葫蘆茄子1條、胛心絞肉3兩、蔥末、薑末各1小匙、披薩起士4大匙、巴西里末1大匙。

調味 S A U C E

番茄醬2大匙、鹽1/3小匙、糖1/3小匙、太白粉1小匙。

●●● 做法 R E C I P E

1 茄子洗淨，擦乾水份，對切兩半。

2 用水果尖刀在茄子內面取下少許茄肉，切成小丁。

3 起油鍋，加入2大匙油，炒香蔥末、薑末，再放入茄肉丁、絞肉拌炒至熟，加入調味料拌勻，即為餡料。

4 將餡料分別填入去肉的茄子內，撒上披薩起士、巴西里末，放入烤箱，以180℃上下火一起烤至表面呈金黃色。

茄子

茄子又名「落蘇」，四、五月春末夏初是其盛產期，含豐富維生素P，可軟化微血管、增加血管的抵抗力，適合高血壓患者及老年人食用。台產茄子因外形細長，多用來炒食，並不適用於這道食譜，這裡所用的葫蘆茄子外形圓胖可愛，產地來自於日本。

披薩起士

Mozzarella cheese，是非常有名的義大利起士，加熱後會牽出長長的細絲，常被用來做為披薩的原料，在一般大型超市都可以買到。

牛肉末焗番茄

材料 INGREDIENTS

紅番茄4個、牛絞肉4兩、洋蔥末、大蒜末各1大匙、百里香1小匙、披薩起士4大匙。

●● 調味 SAUCE

鹽1小匙、胡椒粉1/4小匙。

●●● 做法 RECIPE

1 番茄去蒂，切一平刀口，尾端4/5處切平刀口，挖出果肉、去籽、切成小丁。

2 起油鍋，加入4大匙油，炒香洋蔥末、蒜末、牛絞肉、番茄丁，放入調味料、百里香拌炒，即為餡料。

3 將餡料分別填入番茄中，撒上披薩起士（圖1），放入180℃烤箱中烤約12分鐘即可。

歐風十足

這道牛肉末焗番茄因為加入了氣味濃郁的百里香及披薩起士，使得原本很中式的材料變成充滿歐式風味的佳餚。可見即使食材相同，不同的烹飪手法，也能創造出食物多變的面貌。

❶

竹節肉盅

● 材料 INGREDIENTS

細胛心絞肉4兩、雞絞肉4兩、竹節8~10個、荸薺6粒、薑末2大匙。

●● 調味 SAUCE

酒2大匙、醬油3大匙、鹽1小匙、黑胡椒粉1小匙、冷高湯6杯。

●●● 做法 RECIPE

1 荸薺去皮、拍碎,與豬絞肉、雞絞肉、薑末混合,加入調味料拌勻,即為餡料。

2 將餡料裝入竹節中約八分滿,放入蒸鍋蒸25分鐘。

3 食用時,取出倒扣於湯碗中。

竹節

在一般賣竹蒸籠的店裡都可以買得到,由於外形樸素好看,常被拿來做為烹飪用的容器,如:排骨苦瓜、排骨芋頭、茶碗蒸等。使用過的竹節若是就此丟掉,十分可惜,可以將竹節洗淨後,放在通風處陰乾(注意!千萬不可放在太陽底下曝曬,否則竹節會裂開,無法使用)至少一個星期以上,待竹節乾透後即可收起。竹節若是沒有完全乾透,就容易發霉、長斑,影響整個外觀。

竹香

這道料理在蒸煮的過程中因吸入竹子特有的香氣,所以食用時會帶有一絲絲竹香,雖然也可以用一般容器代替,但做出來的成品總會少了一點香味。

懷胎銀花魚

香料植物

歐美料理中常見的香料除了可以入菜、增添風味外，其新鮮的枝葉也可以當做盤飾之用，將菜餚襯托得更加可口。目前各大型花市均有販售各種香料植物（如：薄荷、迷迭香、巴西里等），對盆栽有興趣的人不妨買幾盆回家栽種，既經濟又美觀。

替代

這道菜也可以用鯽魚、虱目魚等任何新鮮的魚來做。

● 材料 INGREDIENTS

細胛心絞肉3兩、荸薺3粒、蔥末、薑末各1/2小匙。

調味 SAUCE

1 鹽、胡椒各1/4小匙、香油1小匙、水2大匙、太白粉1小匙。

2 醬油4大匙、糖1大匙、水1杯、太白粉1小匙。

●●● 做法 RECIPE

1 荸薺去皮、拍碎，與蔥末、薑末、絞肉混合，加入調味料1拌勻，即為餡料。

2 銀花魚處理乾淨，擦乾水份，內部抹上一些太白粉，鑲入餡料（圖1），放入平底鍋中煎至兩面微黃。

3 準備另一只鍋，將調味料2燒開，放入鑲肉的銀花魚，紅燒至汁液微乾。

迷迭香

清蒸粉蚌

材料 INGREDIENTS

細胛心絞肉4兩、蝦仁4兩、粉蚌10個（中）、荸薺3粒、香菇2朵、蔥末、薑末各1小匙、蔥絲、薑絲、辣椒絲各1大匙。

調味 SAUCE

1 鹽1/2小匙、白胡椒粉1/2小匙、香油1小匙、蛋白1個、太白粉1大匙。

2 鹽、胡椒粉各1/4小匙、香油1小匙、水1杯、太白粉1小匙。

做法 RECIPE

1 粉蚌放入滾水中煮至蚌殼微開，取出蚌肉，蚌殼留下備用。

2 蝦仁抽去腸泥，洗淨、擦乾水份，剁成泥狀。香菇泡軟、切小丁。荸薺去皮、拍碎。

3 絞肉、蝦泥、荸薺、香菇丁、蔥末、薑末混合，與調味料1拌勻，即為餡料。

4 取適量餡料填入蚌殼內，中間鑲上一個蚌肉，放入鍋中蒸9分鐘。

5 蒸好的粉蚌舖上蔥絲、薑絲、辣椒絲，然後將調味料2燒滾、勾薄芡，淋在粉蚌上。

變化

你也可以將粉蚌肉剁碎摻入絞肉中，可使肉餡更加鮮甜好吃喔！

粉蚌吐沙

買回來的新鮮粉蚌必須先浸泡在加了少許鹽的清水中，使其吐沙乾淨；或是將少許沙拉油滴在清水中，讓水中產生表面張力而缺氧，促使粉蚌必須張開殼呼吸而吐沙。

小卷

小卷頭鬚

取下的小卷頭鬚若是丟掉，既可惜又浪費，不妨拿來煮麵，或是炒韭菜花、芹菜，都很適宜。

黃金小卷

● 材料 INGREDIENTS

細胛心絞肉6兩、小卷8隻、蔥末、薑末各1/2小匙、麵粉4大匙、蛋1個、麵包粉1/2杯。

●● 調味 SAUCE

鹽、白胡椒粉各1/2小匙、水4大匙、太白粉1大匙。

●●● 做法 RECIPE

1 絞肉、蔥末、薑末混合，加入調味料拌勻，即為餡料。

2 小卷取下頭鬚部位，將內臟挖空、清洗乾淨，再裝入適量的餡料至八分滿。

3 將裝填好餡料的小管依序沾上一層麵粉、蛋汁、麵包粉，放入七分熱油鍋中，以中火炸至外表呈金黃色。

4 食用時可沾椒鹽或甜辣醬。

紅燴中卷

中卷5～6條、豬絞肉3兩、洋蔥絲3大匙、洋菇4粒
（切片）、巴西里末1小匙。

1 鹽、胡椒粉各1/4小匙、水2大匙、太白粉1小匙。

2 鹽1/3小匙、糖1/2小匙、胡椒粉1/4小匙、帶有香
   料的番茄顆粒罐頭1罐。

1 中卷除去鬚部、外膜，留下中間管狀部位，抽去
   腸泥，洗淨、瀝乾水份。

2 絞肉加入調味料1拌勻，即為餡料。

3 將餡料填入中卷的管狀部位內（如圖）。

4 起油鍋，加入2大匙油，先炒香洋蔥絲、洋菇片，
   放入中卷及調味料2，燒開後，改用小火燜8分
   鐘，起鍋前撒入巴西里末。

①

方塊酥

粗肥心絞肉1/2斤、荸薺4粒、蔥末、薑末各1小
匙、豆腐皮2張。

●● 調味 SAUCE

醬油2大匙、鹽1/3小匙、五香粉1/2小匙、太白
粉2大匙。

●●● 做法 RECIPE

1 荸薺去皮、拍碎，與絞肉、蔥末、薑末混
合，加入調味料拌勻，即為餡料。

2 豆腐皮攤開，填上適量餡料，包捲成長條
狀，每隔1公分寬用手按壓（圖1），然後放
入七分熱油鍋中，以中小火炸至酥黃。

3 用剪刀剪斷，成一個個方塊狀，可沾甜辣醬
食用。

豆腐皮

又稱腐衣。豆漿經煮沸、冷卻後，
漂浮在表面的脂肪和蛋白質會結成
一層薄膜，將它挑起、曬乾後，即
為豆腐皮。豆腐皮含豐富的脂肪、
蛋白質、磷、鐵、鈣，是營養價值
極高的豆類製品。

豆包肉排

● 材料 INGREDIENTS

細胛心絞肉6兩、薄豆包3片、荸薺4粒、香菇2朵、
蔥末、薑末各1小匙、麵包粉1/2杯。

●● 調味 SAUCE

鹽1/2小匙、胡椒粉、五香粉各1/4小匙、蛋白1個、
太白粉1大匙。

●●● 麵糊 SAUCE

麵粉1/2杯、水1/2杯（調成糊狀）

●●●● 做法 RECIPE

1 荸薺去皮、拍碎，香菇泡軟、切細末，與絞肉、
蔥末、薑末混合，加入調味料拌勻，即為餡料。

2 豆包掀開，包入適量的餡料（圖1），覆蓋完整，
刷上一層麵糊，再沾麵包粉，放入七分熱油鍋
中，用中小火炸至金黃，起鍋前改用大火炸一下
再撈出。

3 切塊裝盤即可上桌。

❶

酥脆的口感

這類的酥炸食物最棒的吃法就
是直接沾胡椒鹽或甜辣醬吃，
不僅能保持食物的原味，同時
也能享受到酥脆的口感。

花開富貴

細胛心絞肉3兩、中型香菇8朵、蝦仁2兩、荸薺2
粒、紅蘿蔔末1小匙、花椰菜1顆。

1 鹽、胡椒粉1/3小匙、水2大匙、太白粉1大匙。

2 醬油1大匙、香油1大匙、鹽、胡椒粉各少許、水
1/2杯、太白粉1小匙。

1 香菇泡軟、去蒂、擠乾水份。

2 荸薺去皮、拍碎。蝦仁抽去腸泥、洗淨、擦乾水
份、剁成泥狀。

3 絞肉、荸薺末、蝦泥混合，加入調味料1拌勻，
即為餡料。

4 每朵香菇中鑲入1大匙餡料，撒上少許紅蘿蔔
末，排入盤中，放入蒸鍋蒸8分鐘。

5 花椰菜切成小朵，放入加有鹽的滾水中燙熟，撈
起後，排在盤子周圍一圈，香菇鑲肉則置於中
間。將調味料2燒開、勾薄芡、淋於其上即可。

好看又好吃

花開富貴真是一道既好看又好吃的美味
佳餚，其美麗的外觀無論是做為應景年
菜，或是宴客菜，都很得體。還可以在
每一個香菇鑲肉的上面點綴一些青豆
仁、紅蘿蔔末，讓這道菜餚更添喜氣。

④ Dim-Sum,Noodles Soup

絞肉香滑細緻的口感、

配上香Q有勁的麵皮，

常讓麵食主義者愛不釋口。

這兒有各種中西式麵點，

讓你嘴饞時，隨即做來打打牙祭

剩下的肉餡還可以煲碗湯呢！

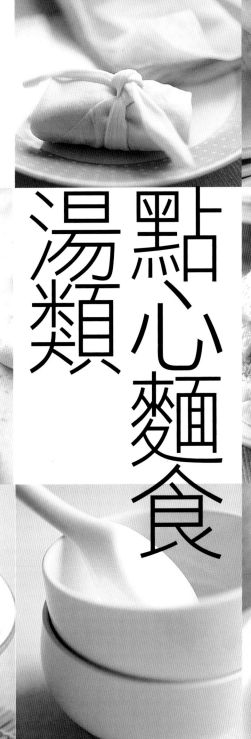

點心麵食
湯類

肉臊飯

●材料 INGREDIENTS

粗絞五花肉1斤、紅蔥頭6粒、大蒜3粒、甘蔗頭1段（約10公分）

●●調味 SAUCE

酒2大匙、醬油膏1碗、五香粉、肉桂粉各1/4小匙、冰糖1 1/2大匙、水3碗。

●●●做法 RECIPE

1 紅蔥頭切成細末、大蒜剁成細末。

2 起油鍋，加入3大匙油，先以大火炒香大蒜末、紅蔥末，放入絞肉炒散，加入甘蔗頭、調味料拌勻，燒開後，改用小火燜煮50～60分鐘即可。

3 可淋在白飯、乾麵，或燙青菜上。

紅蔥頭

是形似大蒜的紅色蔥頭，有鮮品和已經油炸好的紅蔥頭酥，大多用來提味、增加香氣，是台式料理中常見的調味品。

冰糖

冰糖入菜除了可以降低鹹味外，還可以增加肉面色澤、使肉質更Q、湯汁濃稠；用於甜品則具有止咳化痰、潤肺和胃的功能。

紅蔥頭

炸醬麵

● 材料 INGREDIENTS

粗絞肉1斤、花椒1/2碗、小黃瓜2
條、紅蘿蔔1/4條、毛豆2大匙、寬麵
條1/2斤。

● 調味 SAUCE

甜麵醬1碗、糖2大匙、水2碗。

●●● 做法 RECIPE

1 小黃瓜、紅蘿蔔洗淨、切絲，毛豆
　燙熟備用。甜麵醬先與水調勻。

2 起油鍋，加入半碗油，以小火炒香
　花椒，將花椒撈出不要，餘油將絞
　肉炒熟，再放入調好的甜麵醬汁拌
　炒，最後加糖調味。

3 以小火不停的翻炒材料，直至水份
　完全蒸發即可。

4 麵條放入滾水中煮熟，瀝乾水份，
　置於碗中，舀入適量的炸醬，再放
　上燙熟的毛豆、小黃瓜絲、紅蘿蔔
　絲或豆芽菜一起拌勻食用。

甜麵醬

又稱京醬，是利用麵粉加工釀製而成，有獨特的
鮮味及香味，一般多用於沾食或炒菜調味用。由
於甜麵醬本身很鹹，必須加糖調味，降低鹹度，
至於糖的多寡，則視個人的口味而定。

愛麵族照過來

如果你是一個道地的麵食主義者，一般的陽
春麵、細麵可能無法滿足你那張挑剔的嘴，那麼
不妨改以咬勁十足的家常麵、刀削麵，拌上自製
的炸醬，包你胃口大開 。

蒸餃

材料 INGREDIENTS

牛絞肉或豬絞肉1斤、蝦米3大匙、蔥末、薑末各1大匙、青江菜1斤。

●● 調味 SAUCE

鹽1大匙、胡椒粉1小匙、香油2大匙、水1杯。

●●● 外皮 SAUCE

中筋麵粉1斤、熱水1 1/4杯、冷水1/2杯。

●●●● 做法 RECIPE

1 蝦米泡軟，剁成很細的細末。青江菜洗淨、瀝乾水份，切成細末。

2 絞肉、蝦米末、青江菜細末，蔥末、薑末混合，加入調味料拌勻，即為餡料。

3 麵粉先用滾水淋燙，再加冷水拌揉成耳垂軟度的麵糰，接著搓長條、切小塊、壓扁，擀成圓片，包入適量餡料，捏成餃子狀。

4 放入蒸鍋以大火蒸15分鐘。

5 將醬油、白醋、香油混合均勻，做為蘸料用。

蒸餃 v.s. 水餃

同樣的內餡也可以做成水餃，唯蒸餃用的是燙麵，水餃用的是冷水麵。冷水麵因具較佳的延展性，故麵皮較有咬勁。也可以使用現成的餃子皮，不過，機器製品總是不如手工餃子皮來得香Q有勁。

變化

餃子類食物最具可變性，其內餡可隨個人喜好千變萬化，你可以加入適量的香菇、蝦仁，使內餡更加鮮美；也可以改用高麗菜、蛋、豆腐、粉絲等，做成有健康概念的花素餃；甚至包入紅豆餡，蒸好放涼後，做為甜點。

鍋貼

● 材料 INGREDIENTS

胛心絞肉1/2斤、韭黃1/2斤、蝦仁4兩、蔥末、薑末各1大匙。

●● 調味 SAUCE

鹽1大匙、胡椒粉1小匙、香油1大匙、水4大匙。

●●● 外皮 SAUCE

中筋麵粉1斤、滾水1 1/4杯、冷水1/2杯。

●●●● 做法 RECIPE

1 蝦仁抽去腸泥，洗淨、擦乾水份，剁成小丁。韭黃洗淨、瀝乾、切細末狀。

2 絞肉、韭黃末、蝦仁丁、蔥末、薑末混合，加入調味料拌勻，即為餡料。

3 麵粉和成糰狀（做法與蒸餃相同），搓長條、切小塊、壓扁（圖1）、擀成圓片，包入適量餡料，中間捏緊，兩邊留縫口。

4 厚的平底鍋滴上少許油，排入鍋貼，小火煎2分鐘，接著淋入1碗加了少許麵粉的麵粉水，蓋上鍋蓋，再以小火燜7分鐘，直至水乾、麵皮成透明狀，即可鏟出倒扣於盤中。

❶

豬皮凍水

將豬皮洗淨、毛剔淨，切小塊，放入水中，以小火熬30～40分鐘，皮撈起、放涼即可。由於豬皮含有膠質（也可以用雞爪、豬腳等富含膠質的食材來做），煮出來的湯汁放涼後，會結成凍狀。有的做法是將豬皮凍切小塊，拌入肉餡中，再包成包子，但根據我的經驗，這樣反而不好包，且小凍塊會分布不均。因此，最好趁凍水還未結成塊前，先與肉餡拌勻後，再放入冰箱冷藏，待肉餡凝結成凍，再包入麵皮中，如此不僅好包，且蒸熟後，肉凍化成湯汁，味道可是十分鮮美好吃喔！

快發乾酵母

在麵包店、烘焙材料行或大型超市均可買到。

醒麵

做這道鮮肉包時，醒麵的功夫一定要做足，麵糰才能發酵成功，包子也才會鬆軟好吃。此外，包子蒸好後，不要立刻掀起蓋子，否則會因為熱漲冷縮，致使外表縮成皺皺的不好看。

小叮嚀

揉麵時，切記要揉至所謂的「三光」：手光滑（未沾黏上麵糰）、麵糰光滑（表面沒有凹凹凸凸）、容器光滑（未沾黏到麵糰），這樣的麵糰才不會濕濕黏黏的不好包。

鮮肉包

●材料 INGREDIENTS

細胛心絞肉1斤、蔥末2大匙、薑末2大匙、鹽1小匙、胡椒粉1/2小匙、豬皮凍水1碗。

外皮 SAUCE

中筋麵粉1斤、快發乾酵母1小匙、糖2大匙。

●●●做法 RECIPE

1 絞肉、蔥末、薑末、鹽、胡椒粉、豬皮凍水混合拌勻，即為餡料。

2 酵母、糖加入1碗溫水調化，放置5分鐘後（起許多小泡泡），倒入麵粉中，再加入1 1/2杯的冷水，揉成糰狀（圖1），蓋上蓋子，醒30分鐘。

3 將醒後漲大的麵糰揉開（圖2），搓長條、切塊、**擀**成圓片，包入適量餡料，捏成包子狀（圖3），再醒20分鐘。

4 將濕布墊在蒸籠底部，水燒開後，排入醒好的包子，以大火蒸15分鐘，蒸好後再稍微燜1、2分鐘才掀開鍋蓋。

斑皮餛飩

● 材料 INGREDIENTS

細胛心豬絞肉1/2斤、餛飩皮（中）3兩、蔥末、薑末各1小匙、蝦仁2兩、小白菜3支、油蔥酥1大匙、高湯1大湯碗。

●● 調味 SAUCE

1 鹽1/2小匙、胡椒粉1/2小匙、香油2大匙、水1/2杯、太白粉1大匙。
2 鹽1/2小匙、胡椒粉、香油各少許。

●●● 做法 RECIPE

1 蝦仁抽去腸泥，洗淨、擦乾水份，剁成細末，與絞肉、蔥末、薑末混合，加入調味料1拌勻，即為餡料。

2 取餛飩皮，包入少許餡料，捏成元寶狀（圖1），放入七分熱油鍋中，炸至呈金黃色。

3 高湯放入湯鍋中燒開，加入斑皮餛飩、小白菜及油蔥酥稍煮，起鍋前撒上胡椒粉、滴入香油即可。

餛飩

餛飩是江浙人的稱呼，廣東人叫「雲吞」，四川人稱做「抄手」，本省人則叫「扁食」，雖然名稱各不相同，但指的都是同一種食物。餛飩通常被拿來做為湯品，只有四川的「抄手」是乾的。做法是先在碗中調好紅油、花椒粉、蔥末、薑末、香油、醬油，再放入煮好的抄手拌勻。

變化

除了小白菜外，你也可以加上一些蛋皮、紫菜絲，讓這道餛飩湯色彩更豐富，營養價值也更高。

餛飩做的點心

餛飩皮除了拿來做餛飩外，還有其他另類吃法喔！將餛飩皮包入小塊的年糕或蜂蜜蛋糕，用麵糊封口，放入油鍋微炸，即是一道酥脆可口的點心；或是將餛飩皮對切成三角形，油炸後，撒上起士粉，再放入烤箱烤一下，濃郁的起士香只有試過的人才知道。

變化

燒賣是廣式飲茶中常見的茶點之一。喜歡海鮮
口味的人可以將材料中的蝦仁剁碎,加入餡料
中,而改用青豆、紅蘿蔔末裝飾在肉餡上。

替代

燒賣皮較少見,可用一般的餛飩皮來代替。

燒賣

材料 INGREDIENTS

細豬絞肉1/2斤、小蝦仁20隻、荸薺6粒、蔥末、
薑末各1小匙、燒賣皮3兩。

●● 調味 SAUCE

鹽1小匙、胡椒1/2小匙、香油1大匙、水4大匙。

●●● 做法 RECIPE

1 荸薺去皮、拍碎,與蔥末、薑末、絞肉混合,
加入調味料拌勻,即為餡料。

2 蝦仁抽去腸泥、洗淨、擦乾水份。

3 取燒賣皮,包入適量的餡料,捏成燒賣狀(圖
1),上置一隻蝦
仁,排入蒸籠中。

4 水燒開後,放上蒸
籠蒸12分鐘。

咖哩餃

● 材料 INGREDIENTS

牛絞肉或豬絞肉1/2斤、洋蔥1顆、蛋黃1個、黑芝麻1小匙。

調味 SAUCE

鹽1小匙、咖哩粉1大匙。

●● 外皮 SAUCE

1 油皮：低筋麵粉2杯、油1/2杯、水1/2杯。
2 酥皮：低筋麵粉1 1/2杯、油1/2杯。

●●● 做法 RECIPE

1 洋蔥切成細末。

2 起油鍋，加入1大匙油，炒香洋蔥末，放入絞肉炒熟，加上調味料拌勻，即為餡料。

3 油皮、酥皮分別和成糰狀，搓成長條，各切26小塊，取一份油皮包一份酥皮，揉圓，即為油酥。

4 油酥擀開，回捲成長條狀，順著長條再輕輕口一次，再捲回來、壓扁、口成圓片，包入適量的餡料，捏成餃子狀，邊緣稍微修飾一下（圖1、2）。

5 在咖哩餃上塗上一層蛋黃液，撒點芝麻，放入180℃烤箱烤約20分鐘，直至表面呈金黃色即成。

牛肉餡餅

材料 INGREDIENTS

細牛絞肉1斤、薑末1小匙、蔥、薑水1杯

●● 調味 SAUCE

鹽1 1/2小匙、白胡椒粉1/2小匙、香油2大匙。

●●● 外皮 SAUCE

中筋麵粉3杯、滾水1杯、冷水3/4杯。

●●● 做法 RECIPE

1 將牛絞肉、薑末與調味料充分攪拌，直至產生膠質狀，即為內餡。

2 麵粉置於容器中，沖入滾水，用筷子攪拌，稍涼再加入冷水，搓揉成耳垂軟度的麵糰，覆蓋濕毛巾，放置20分鐘。

3 將麵糰分切成15小塊，分別壓扁，擀成圓片，包入適量的內餡，收口捏緊、壓成扁圓狀（圖1）。

4 在平底鍋中加入適量的油，排入餡餅，以小火煎至兩面酥黃。

蔥薑水

蔥薑稍加搓揉後，會滲出水來，將蔥薑取出，取其汁液即可。

小叮嚀

最好是使用厚的平底鍋，否則容易造成餅皮焦掉，內餡卻還未熟的情形。煎餡餅時，千萬要注意火候，用小火耐心的煎至酥黃，餡餅吃起來才會外酥內嫩。

餡餅&小米粥

香酥多汁的餡餅，配上清淡可口的小米粥，是北方人最愛吃的麵食。內餡亦可改為豬絞肉，成為豬肉餡餅

鮮肉派

● 材料 INGREDIENTS

豬絞肉1/2斤、蔥末、薑末各1小匙、冷凍酥皮4張、蛋黃1個、海苔粉1/2小匙。

●● 調味 SAUCE

鹽1小匙、胡椒粉1/2小匙、香油1大匙、水1/2杯。

●●● 做法 RECIPE

1 絞肉、蔥末、薑末混合,加入調味料拌勻,即為餡料。

2 油酥皮對切成三角形,分別包入適量的餡料,對折成小三角形。

3 取叉子在縫口處按壓(圖1)封口,塗上一層蛋黃液,再撒點海苔粉。

4 放入180℃烤箱烤約15分鐘,至表面金黃酥香即可。

酥炸三角餅

● 材料 INGREDIENTS

牛絞肉、豬絞肉各4兩、大張餛飩皮20張。

●● 調味 SAUCE

鹽1小匙、胡椒粉1/4小匙、小茴香1/4小匙、香菜末2大匙、水4大匙、檸檬粉1/4小匙、義大利綜合香料1/4小匙。

●●●● 做法 RECIPE

1 牛、豬絞肉與調味料充分混合拌勻,即為餡料。

2 取餛飩皮包入1小匙左右餡料,折成小三角狀(圖1、2),放入七分熱油鍋中,以中火炸至酥黃即成。

香料粉

這道食譜中的檸檬粉是在國外買的,加進去之後發現香氣十足,口感也很棒;讀者可在台灣各大進口食品材料行找找看,如果買不到,也可以不加。

漢堡肉餅

烹調小秘訣

輕咬一口，香郁的肉汁立刻在嘴裡蔓延開來，這便是漢堡肉吸引人的地方。漢堡肉要做得鮮美多汁，首重肉中脂肪的比例要足，不可選擇太瘦的肉。製作過程中，要適當的揉捏、拍打，使肉質產生一定程度的彈性與黏度。此外，煎肉時，千萬不可為了快熟，而用鍋鏟將肉餅壓扁，否則會使肉汁流失，成為乾澀無汁的漢堡肉。

材料 INGREDIENTS

牛絞肉或豬絞肉1/2斤、洋蔥末4大匙、芹菜末1大匙、紅蘿蔔末1大匙、漢堡包2個、番茄片2片、起士片2片、生菜2片。

調味 SAUCE

鹽1小匙、胡椒粉、五香粉各1/4小匙、水1/2杯、太白粉1大匙。

做法 RECIPE

1 絞肉、洋蔥末、芹菜末、紅蘿蔔末混合，加入調味料拌勻，即為餡料。

2 取2大匙左右的餡料，揉成圓球，壓扁後，放入平底鍋中，小火煎至兩面焦黃。

3 將肉餅夾入漢堡包內，放上番茄片、起司片、生菜即可，或改用吐司做成三明治。

可樂餅

● 材料 INGREDIENTS

豬絞肉1/2斤、洋芋2個、洋蔥1小顆、蛋2個、
麵粉1/2杯、麵包粉1杯、太白粉1大匙。

調味 SAUCE

鹽1大匙、咖哩粉1大匙。

●●● 做法 RECIPE

1 洋芋去皮、切片,蒸熟、壓成泥狀。

2 洋蔥切細末。

3 起油鍋,加入2大匙油炒香洋蔥末,放入絞肉
　炒熟,加上咖哩粉拌炒片刻,放入鹽調味。

4 洋芋泥與調理好的絞肉及太白粉充分拌勻。

5 取1大匙的餡料,揉成圓球,再壓成扁圓狀,
　依序沾上一層麵粉、蛋汁、麵包粉,放入
　180℃油鍋中,以中小火炸至金
　黃,起鍋前改用大火炸一
　下,即可撈出。

洋蔥

洋蔥因含有硫化物質,切片時容易使眼睛
受到刺激而流淚,可先將洋蔥對切開後,
浸泡於清水中10分鐘,即可避免此現象。

可樂餅鬆軟好吃的秘訣

洋芋最好以蒸的方式炊熟,可降低其含水
量,做出來的洋芋泥油炸後才會鬆軟好
吃。可樂餅是以洋芋為主體,其他材料可
依個人喜好而替換。

千層麵

牛絞肉或豬絞肉1/2斤、洋蔥末2大匙、洋菇6粒（切片）、義大利寬麵1斤、披薩起士4大匙、巴西里末1大匙。

鹽1 1/2小匙、番茄醬6大匙、糖1大匙、高湯1/2杯、太白粉1小匙。

1 起油鍋，加入3大匙油，炒香洋蔥末、洋菇片，放入絞肉炒熟，加入調味料燒開，以太白粉水勾薄芡，即為餡料。

2 麵條煮熟，拌點香油。容器中依序放入一層麵條、一層餡料（圖1），以此類推，層層相疊，最上層的餡料上，再舖滿起士絲，放入180℃烤箱中烤約15分鐘，直至起士融化，表面焦黃。

3 取出食用時，撒些巴西里末。

千層麵

正統的千層麵是用名為Lasagna的義大利寬麵來製作，如果家裡沒有這種特殊的麵條，也不必特地去買，就用現有的中式麵條也可以創作出具有中國風味的千層麵。

川丸子豆苗湯

●材料 INGREDIENTS

細胛心絞肉1/2斤、荸薺5粒、蝦米1大匙、蔥末、薑末各1小匙、豆苗4兩。

●●調味 SAUCE

1 鹽1/2小匙、胡椒粉1/3小匙、香油1小匙、水3/4杯、太白粉1大匙。
2 鹽1/2小匙、胡椒粉、香油各少許、高湯1大湯碗。

●●●做法 RECIPE

1 蝦米泡軟、剁碎。荸薺去皮、拍碎。豆苗取嫩葉部分洗淨。
2 絞肉、荸薺末、蝦米末、蔥末、薑末混合，加入調味料1拌勻，即為餡料。
3 高湯燒開，由虎口擠出小肉丸，放入湯中煮4分鐘，加入調味料2及豆苗稍
　煮片刻即可。

替代

豆苗可更改成任何喜好的素材，如大黃瓜、冬瓜、菜心、芥菜心等。

豆腐丸子湯

老豆腐

又名家常豆腐、木棉豆腐。色乳白、豆香濃郁，因含水量較一般嫩豆腐少，故質地較硬，北方人最愛將老豆腐切塊、汆燙後，沾調有蒜末、蔥末的醬油食之，雖然簡單，卻能真正品嚐到豆子的香味。

二筋一湯

● 材料 INGREDIENTS

細肨心絞肉1/2斤、小油豆腐果8個、百頁5張、蝦米2大匙、扁尖筍1個、粉絲1把、胡瓜絲5條、高湯1大湯碗、小蘇打粉1小匙。

●● 調味 SAUCE

1 鹽、胡椒粉各1/2小匙、香油1大匙、水4大匙、太白粉1大匙。

2 鹽1/2小匙、胡椒粉少許、香油1小匙。

●●● 做法 RECIPE

1 小蘇打粉（或鹼粉）用温水溶化，放入百頁，浸泡至顏色轉變成象牙白，撈出、反覆漂水、瀝乾水份。

2 蝦米泡軟，取 1大匙剁碎，與絞肉、調味料1混合拌勻，即為餡料。

3 裝適量餡料於豆腐果中，百頁包入適量餡料，捲成圓筒狀，用泡軟的胡瓜絲包紮打結。

4 扁尖筍泡軟、切小段。粉絲泡軟、剪半。

5 將粉絲墊底，各項材料排放於上，加入調味料2及高湯，放入鍋中蒸20分鐘即可。

西湖牛肉羹

材料 INGREDIENTS

絞牛肉1/2斤、洋蔥1/2個、紅蘿蔔 1/4條、香菜少許、高湯6碗。

●● 調味 SAUCE

1 醬油2大匙、蛋白1個、太白粉1大匙。

2 醬油2大匙、鹽1小匙、胡椒粉少許、太白粉2大匙、紅醋1大匙。

●●● 做法 RECIPE

1 洋蔥、紅蘿蔔分別切成小丁。

2 牛絞肉加入調味料1拌勻。

3 起油鍋，加入3大匙油，用小火將牛絞肉炒散，撈出，再加入2大匙油，炒香洋蔥末、紅蘿蔔末，倒入高湯燒開，加入調味料2及炒散的牛絞肉，再以太白粉水勾芡。

4 起鍋前，撒入胡椒粉、紅醋、香菜食用。

勾芡

在所有烹調手法中，溜、燴、羹均是以太白粉水勾芡而成，三者之間的差別在於芡汁的厚薄，其中以「溜」的芡汁最濃稠，「羹」是以喝湯為主，故芡汁最薄。

朱雀文化

和你快樂品味休閒生活

Cook50 為你精心規劃美食新生活
輕鬆做 讓你輕鬆享受烹飪樂趣

Cook50003
酒神的廚房
—— 用紅白酒做菜的50種方法著
定價=280元　圓山飯店中餐開發經理劉令儀
著

■ 國內第一本以紅白葡萄酒入菜的食譜。包括涼拌沙拉、羹湯類、熱食主菜及甜點冰品。步驟簡單易做，適合追求時尚、效率，求新求變的年輕上班族。

■ 作者為NEWS98電台「美食報報報」節目主持人，曾任美國洛杉磯希爾頓飯店中餐開發經理。吳淡如、鄭華娟、陳樂融、蘇來等人推薦。

Cook50004
酒香入廚房
—— 用國產酒做菜的50種方法著
定價=280元　圓山飯店中餐開發經理劉令儀
著

■ 本書為目前市面上第一本以國產酒入菜的食譜。包括魚蝦海鮮、雞鴨家禽、豬牛畜肉以及什蔬、主食、及甜點。教讀者以國產公賣局酒添加入食材中，提高食物的色香味。酒類包括高梁、紹興、米酒、水果酒及啤酒等。

Cook50006
烤箱料理百分百
定價=280元　資深烹飪老師梁淑熒著

■ 以紮實詳細的小步驟圖帶領讀者進入烤箱烘焙世界，教導讀者看書就能美味好菜。菜餚內容包括：海鮮、雞鴨、牛肉豬肉、蔬菜、點心和主食

■ 選購烤箱的6大原則、正確使用烤箱的6大重點、用烤箱烹飪菜餚的6大訣竅。

Cook50007
愛戀香料菜
—— 教你認識香料、用香料做菜
定價=280元　李櫻瑛著

■ 50道中式和異國香料食譜點心，介紹各式香料的來由、傳說以及使用方法，附乾香料圖片，以利讀者選購。書末更將香料購買地、香料的保存方法、香料圖鑑以及各式香料的建議搭配一一說明清。

■ 為著不善烹飪的初學者考量，在食材的處理上有清楚詳盡的方法可供參考。

Cook50009
今天吃什麼
定價=280元　資深烹飪老師梁淑熒著

■ 100道早中晚餐，包括晚餐：快炒、羹湯類，中餐：便當菜、簡便快餐，早餐：中式、西式早餐。

■ 每道食譜都有替代食材，讓你輕鬆變換、任意搭配一日三餐的菜餚，從此不必再苦惱：今天吃什麼？

Cook50013
我愛沙拉（中英對照）
定價=280元　香草蛋糕鋪金一鳴著

■ 50種最受歡迎的沙拉及50種醬汁，包含各國經典沙拉，及各樣肉類、海鮮、蔬菜、穀類、甜點沙拉；讓讀者可依醬汁的類型和食材做多樣的搭配。

■ 為著不善烹飪的初學者考量，書末介紹製作沙拉的蔬菜及醬料，並詳述材料的挑選與清洗保存，讓你吃得健康又營養。

Cook50015
花枝家族
定價=280元　邱筑婷著

■ 一本完全花枝家族料理食譜，以涼拌、清蒸水煮、煎炒、酥炸及焗烤、湯品、飯、麵等烹調方法製作出來的花枝大全。

■ 本書以圖片介紹花枝、小卷、透抽和軟翅等的營養價值及市場行情價，讓讀者更清楚分辨出可愛的花枝家族；且由於這類海鮮口感非常類似，彼此間皆可以互相替代。

Cook50016
做菜給老公吃
定價=280元　劉令儀著

■ 針對新婚主婦設計出簡單而多功能的小家庭套餐。想要煮得好吃、簡單、省錢又健康，就讓作者劉令儀來告訴你訣竅。包括「懶人餐」、「省錢餐」、「健康機能餐」及「浪漫套餐」四大項目99道菜色。

Cook50017
下飯ㄟ菜
定價=280元　邱筑婷著

■ 集合了60道下飯且適合帶便當的菜餚，保證一上桌就讓人胃口大開，把飯吃光光。

■ 教你做出下飯菜的秘訣，善用隨手可得的香料植物和醬料入菜，增添食物的美味；也可裝飾於菜餚上，增加顏色的豐富性，讓菜色更加秀色！

■ 各式五穀雜糧飯、干貝飯、昆布飯、菜飯等的製作方法。

Cook50018
烤箱宴客菜
定價=280元　資深烹飪老師梁淑嫈著

■ 擁有本書，教你輕鬆漂亮做佳餚。以烤箱烹調食物相當適合宴客，只要事前先將所有材料準備好，當客人來臨前放入烤箱烘烤；利用多出來的時間梳妝打扮一番，相信客人不但對菜餚讚不絕口，更對欽佩主人完美的儀態。

■ 以紮實詳細的小步驟圖帶領讀者進入烹飪世界，教導讀者看書就會做美味好菜。

Cook50019
3分鐘減脂美容茶
──65種調理養生良方
定價=280元　中醫師楊錦華著

■ 以無藥味、容易取得的材料、最簡單的方法製作20道擁有輕盈體態的減脂茶、8道豐胸、美白、去斑美容茶、13道調經、更年期、禦寒消暑調理茶、12道消除心痛、頭痛、生理痛、胃痛飲茶、12種藥浴與藥枕的應用方法。

Cook50020
中菜烹飪教室
──乙丙級中餐烹調技術士考照專書
定價=480元　乙級中餐烹調技術士張政智著

■ 每道考題均有詳盡的製作過程，不論火候、調味、調醬、排盤上須注意處均有註解。

■ 術科考前重點提示、應考規定、試場規則記載完整，報名方法及報名表填寫方式均有範例說明。

■ 收錄195道最基礎的中國菜，即使不準備考試，也可供一般家庭主婦作為日常食譜的參考。

Cook50021
芋仔蕃薯
──超好吃的地瓜芋頭點心料理
定價=280元　資深烹飪老師梁淑嫈著

■ 撇開政治聯想，芋頭及蕃薯不僅可以烹調中菜，還可做中式點心、西式點心、甜品等，千變萬化，可塑性強，是很多人共同喜愛的美食。在本食譜裡，我們還會就這兩種食材混合烹調，相信在你嘗過幾道可口的菜餚後，就會明瞭芋頭及蕃薯融合在一起，是多麼美妙的結合啊！

Cook50022
每日1,000Kcal瘦身餐
──88道健康窈窕料理
定價=280元　營養師黃苡菱著

■ 將早餐設計為100大卡，午晚餐400大卡，甜點50大卡，輕鬆搭配成每日1,000大卡的餐點。瘦身不必餓肚子，除了享受三餐，還有點心配宵夜，像明星一樣擁有勻稱好身材。除了88道健康窈窕料理外，還有諸多瘦身原則，讓你在研究菜單的同時，知道更多的飲食技巧，才容易瘦得輕鬆又健康。

朱雀文化

和你快樂品味休閒生活

Cook**50** 為你精心規劃美食新生活
輕鬆做 讓你輕鬆享受烹飪樂趣

Cook50001
做西點最簡單

定價=280元 賴淑萍著

■ 蛋糕、餅干、塔、果凍、布丁、泡芙、15分鐘、簡易小點心等七大類，共50道食譜。
■ 清楚的步驟圖，就算第一次下廚也會做！詳細的基礎操作，讓初學者一看就明瞭。事前準備和工具整理，做西點絕不手忙腳亂。作者的經驗和建議，大大減少失敗機率。常用術語介紹，輕鬆進入西點世界。

Cook50002
西點麵包烘焙教室
── 乙丙級烘焙食品技術士考照專書

定價=420元 乙級烘焙食品技術士陳鴻霆、吳美珠著

■ 由乙丙級技術士教導如何準備乙丙級烘焙食品技術士檢定測驗，項目：麵包及西點蛋糕。
■ 最新版烘焙食品學題庫。提供歷屆考題，每道考題均有中英文對照的品名、烘焙計算、產品製作條件、產品配方及百分比、清楚的步驟流程，以及評分要點說明、應考心得、烘焙小技巧等資訊。

Cook50005
烤箱點心百分百

定價=320元 資深烹飪老師梁淑瑩著

■ 以紮實詳細的小步驟圖帶領讀者進入西點烘焙世界，內容包括：蛋糕、麵包、派、塔、鬆餅、酥餅和餅干、小點心。教導讀者看書就會成功做點心。
■ 教你做一個師傅級的戚風蛋糕、為心愛的人裝點一個美麗的蛋糕、發麵及丹麥麵包的製作方法、千層派皮、塔皮的製作方法

Cook50008
好做又好吃的低卡點心

定價=280元 香草蛋糕鋪金一鳴著

■ 50種低熱量甜點，除了原本即屬低卡洛里的甜點外，也在傳統的甜點製作上，選用些替代的原料或不同的組合方式，讓熱愛甜點者既可盡情享受美食又不必擔心體重上升。
■ 依甜點的製作特性和材料，以春夏秋冬四季區分4大類點心，每道點心都有卡洛里數及熱量分析。

Cook50010
好做又好吃的手工麵包
── 最受歡迎麵包輕鬆做

定價=320元 優仕紳麵包店陳智達著

■ 作者以從事烘焙業20年的經驗，指導讀者輕鬆做出好吃麵包的方法，包括50種最受歡迎的麵包，甜麵包、可鬆類麵包、白燒麵包、多拿滋麵包、歐式麵包、花式麵包等六大類。
■ 每單元的最開始均提供麵種製作的過程及配方，讓讀者可直接用於同單元的麵包中，不需要做配方的換算，也不浪費麵糰。

Cook50011
做西點最快樂
定價=300元　賴淑萍著

■ 繼《做西點最簡單》，作者再推出進階級西點烘焙食譜，包括最流行的起司蛋糕、巧克力、慕斯、派、司康和瑪芬、薄餅。最熱門的提拉米蘇、義式鮮奶酪、冬日限量生巧克力、偶像日劇中的燒蘋果。

■ 日式烘焙術語解讀－－輕鬆看懂日文食譜

Cook50012
心凍小品百分百
（中英對照）

定價=280元　資深烹飪老師梁淑嫈著

■ 本書運用坊間可買到的各種天然凝固劑，設計出各式各樣的甜、鹹小品。從最傳統的洋菜粉、布丁粉，到葛粉、地瓜粉，以及吉利丁、聚力T，甚至豬皮，不僅可製作甜點、果凍、冰寶，還可以做出各式各樣冰涼的菜餚。

■ 無論是夏日消暑小品或平日的開胃小點均適宜。

Cook50014
看書就會做點心
——第一次做西點就OK

定價=280元　林舜華著

■ 50種讓初學者第一次做就OK的西點。

■ 特別介紹製作西點基礎常識，如蛋白、鮮奶油打發、融化巧克力、手製擠花袋、戚風蛋糕、塔皮、派皮的做法。並列出常用的工具材料的用途、價位說明。每道西點均有作者的烹飪經驗與建議，從中學習到小技巧，減少失敗的機率。

輕鬆做001
涼涼的點心
定價=120元、特價=99元　喬媽媽著

■ 心情不好嗎？來一客清涼、溫柔的沁涼點心吧！把擔心情統統丟掉，只留下嘴裡心底酸甜的滋味。包括剉冰、蜜豆冰、雪泥等沁涼冰品和五彩繽紛的果凍及軟軟布丁。

■ 洋菜凍、吉利丁、吉利T的比較。

輕鬆做002
健康優格DIY
定價=150元　楊三連、陳小燕著

■ 帶領讀者在家自己製作衛生、高品質的優格。

■ 除各式優格冰品冷飲教學外，沾醬、濃湯、菜餚、點心，都可以加上優格，增添味覺新體驗。

■ 優格護膚小秘方，優格輕盈苗條法。關於優格的小常識及疑問解答。

國家圖書館出版品預行編目資料

絞肉の料理　玩出55道絞肉好風味／林美慧.
—初版.—
台北市：朱雀文化，2001〔民90〕
　　面：　公分. —（COOK50系列；28）
ISBN 957-0309-46-6（平裝）

1. 食譜–肉類
427.2　　　　　　　　　　　　90017222

COOK500028

絞肉の料理──玩出55道絞肉好風味

作　　者	林美慧
攝　　影	徐博宇
封面設計	張小珊
版面構成	小珊工作室
食譜編輯	盧幼芝
企畫統籌	李　橘
發 行 人	莫少閒
出 版 者	朱雀文化事業有限公司
地　　址	北市建國南路二段181號8樓
電　　話	02-2708-4888
傳　　真	02-2707-4633
劃撥帳號	19234566 朱雀文化事業有限公司
e-mail	redbook@ms26.hinet.net
網　　址	http://redbook.com.tw
總 經 銷	展智文化事業股份有限公司
I S B N	957-0309-46-6
初版一刷	2001.11
定　　價	280元
出版登記	北市業字第1403號